TEXTE : **DANIELLE SIMARD** • ILLUSTRATIONS : **BRUNO ST-AUBIN**

Le pire des papas

À tous les *vrais* bons papas.
Danielle Simard

À mes deux garçons.
Bruno St-Aubin

imagine

Catalogage avant publication de Bibliothèque et Archives nationales du Québec et Bibliothèque et Archives Canada

Simard, Danielle, 1952-

Le pire des papas

Pour enfants de 4 ans et plus.

ISBN 978-2-89608-079-3

I. St-Aubin, Bruno. II. Titre.

PS8587.I287P57 2010   jC843'.54   C2009-942248-4
PS9587.I287P57 2010

Le pire des papas © Danielle Simard / Bruno St-Aubin
© Les éditions Imagine inc. 2010
Tous droits réservés
Graphisme : David Design

Dépôt légal : 2010
Bibliothèque nationale du Québec
Bibliothèque nationale du Canada

Les éditions Imagine
4446, boul. Saint-Laurent, 7e étage
Montréal (Québec) H2W 1Z5
Courriel : info@editionsimagine.com
Site Internet : www.editionsimagine.com

Tous nos livres sont imprimés au Québec.
10 9 8 7 6 5 4 3 2 1

Société
de développement
des entreprises
culturelles
Québec

Conseil des Arts   Canada Council
du Canada   for the Arts

Gouvernement du Québec – Programme de crédit d'impôt
pour l'édition de livres – Gestion SODEC.

Nous reconnaissons l'aide financière du gouvernement
du Canada par l'entremise du programme d'aide
au développement de l'industrie de l'édition (PADIÉ)
pour nos activités d'édition.

Nous remercions le Conseil des Arts du Canada
de l'aide accordée à notre programme de publication.

Programme d'aide aux entreprises du livre et de l'édition
spécialisée de la SODEC.

Laurie est la vedette de la cour d'école, aujourd'hui.
Pas étonnant. Elle porte le même blouson que Lili Star.

Ce n'est pas juste ! Ce blouson-là devrait être à MOI, Victoire Gagné.
Lili Star est MA chanteuse préférée.
Dès que maman viendra me chercher, nous irons m'en acheter un.

Zut ! C'est papa qui arrive.
Il m'apprend que maman rentrera très tard.
Quelle catastrophe ! Avec lui, c'est plus long.
Il commence toujours par dire non.

Comme nous arrivons à la maison, j'utilise mes mots magiques:
— Veux-tu me faire plaisir, mon papou d'amour que j'aime et qui m'aime?

Papa répond :
— Ça dépend, Victoire. Tu sais qu'un bon papa ne peut pas accepter toutes les demandes de son enfant.

Aïe ! Aïe ! Aïe ! Je savais bien que ce serait long !

Mais Victoire Gagné porte bien son nom.
Mes doigts plus doux que des bisous caressent la main de papa.
Je lui explique que Laurie a le blouson de MA chanteuse préférée.
Que ce n'est pas juste. Et qu'il m'en faut un d'urgence.

Mon papa dégage sa main.
Il prétend que j'ai déjà trop de vêtements.
Il ajoute que ce n'est ni Noël ni ma fête.

Je lui fais mes yeux super suppliants.

— C'est ma fête dans quatre mois. Ce serait juste un petit cadeau d'avance...
Dis oui, papouni chéri ! S'il te plaît ! S'il te plaît ! S'il te plaît !

Papa ne comprend rien !
Il m'ordonne de ne plus insister.
Je n'insiste pas. Je crie :
— **Tu es le pire des papas !**

Après, je ne prononce plus un mot.
C'est dur pour papa.
Mais il a bien mérité d'être puni !

J'ai boudé pendant des heures.
Papa a été assez puni.
Il va sûrement se montrer plus raisonnable, maintenant.

Surtout que j'ai eu une idée de génie !
Je me suis brossé les dents. Je me mets en pyjama. Puis, je vais
ranger ma chambre. Sans que papa me le demande !
Je vais même lui promettre de la ranger pendant un mois entier…
à condition qu'il m'achète d'abord le blouson.

Papa fait un grand sourire. Je le savais que je gagnerais !
— J'ai une meilleure idée ! s'exclame-t-il. Si tu ranges ta chambre chaque jour,
je t'achète ton blouson dans un mois.

— QUOI ! C'est bien trop loin !
J'ai annoncé à tout le monde que je l'aurais DEMAIN. De quoi j'aurai l'air ?
— De la fille d'un bon papa, capable de lui dire non.
— Tu te trompes ! J'aurai l'air de la fille du pire des papas !

Mon père me conseille de réfléchir et il sort en claquant la porte.

Il ne méritait pas que je range ma chambre.
Je la remets comme avant.
Ça lui apprendra !

La réflexion, c'est parfois bon... J'ai trouvé un super argument!
Je rejoins papa dans son atelier et je lui demande:
— Comment oses-tu me refuser un petit blouson, alors que tu viens de t'acheter
un marteau insonorisé et une perceuse microscopique?
Tu devrais avoir honte!

Mon père ne rougit même pas. Il réplique qu'il rêve d'avoir une scie
à rayons infrarouges. Et plein d'autres trucs ! Et tout de suite !
Sauf qu'il va attendre la fête des Pères.
Parce qu'il est raisonnable, lui !

Papa ne me laisse plus le choix.
Je sors mon arme spéciale: les larmes!
Maman ne supporte pas de me voir pleurer.
C'est un spectacle beaucoup trop triste.

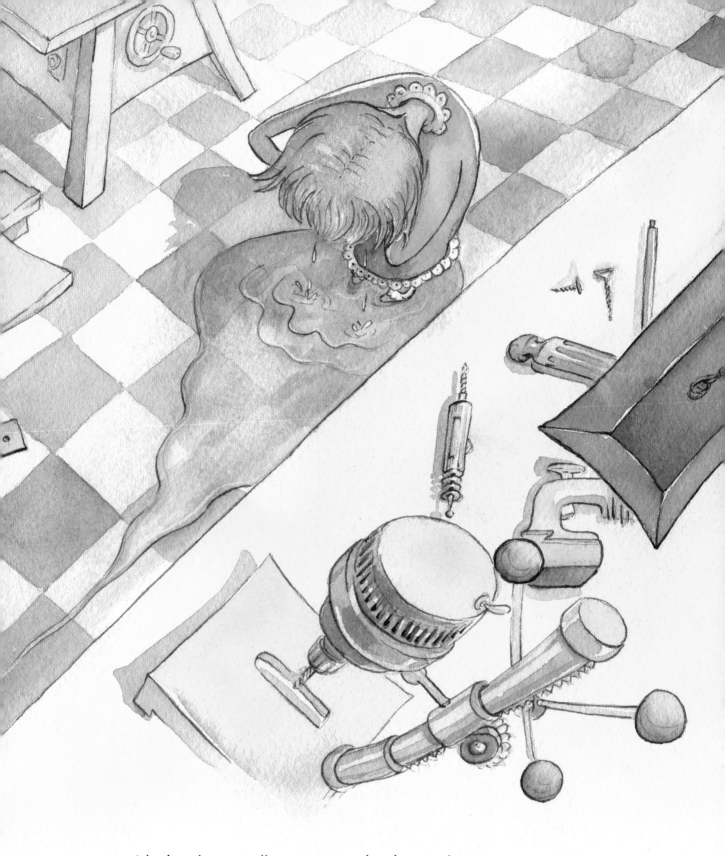

Là, je pleure tellement que je risque de me noyer.
Mais papa ne fait rien pour me sauver.
Quel méchant !

Je me mets à crier:
— Tu ne m'aimes pas! Si tu m'aimais, tu ne pourrais pas me faire autant de peeeeeeeeine!

Papa répond qu'il agit ainsi parce qu'il m'aime. Que plus tard, je comprendrai.

Comment peut-il rester aussi calme ?
Trop, c'est trop. Attention, ça va faire mal !
Cette fois, je lui lance la phrase qui tue !

— Moi, je ne t'aime plus !
Et je ne t'aimerai plus jamais !

Papa sursaute juste un peu.
— J'ai le devoir de t'éduquer, Victoire.
Pas celui d'accepter tous tes caprices
dans le but d'être aimé...
Maintenant, on a assez discuté.
D'ailleurs, que pourrais-tu ajouter de plus?
C'est l'heure d'aller te coucher!

Je cours jusqu'à mon lit.
Ce qui m'arrive est tellement horrible que j'ai du mal à respirer. J'étouffe !
Je vais en mourir, c'est sûr !
Et ce sera la faute de ce monstre sans cœur.

Demain, ils me trouveront morte de chagrin.
Tout le monde saura que mon papa est le pire des papas.
Oui, le pire... le pirrrr... rrr... rrr...

Maman me réveille avec des petits baisers sur le front.
— Il faut te lever, ma jolie Victoire !
Hummm ! Ça sent les crêpes au sirop. Je plonge dans mes pantoufles
et je file à la cuisine.

Papa est déjà là. Je m'élance pour recevoir mon gros câlin du matin.
Juste comme je lui saute au cou, j'entends les mots de maman :
— Vous dormiez comme des marmottes quand je suis rentrée, hier.
Vous avez passé une belle soirée, tous les deux ?

Oups ! J'ai oublié de mourir !

Papa me serre dans ses bras. Il me glisse à l'oreille:
— Tu vois bien qu'on s'aime encore, toi et moi!